Alianza Cien
pone al alcance de todos
las mejores obras de la literatura
y el pensamiento universales
en condiciones óptimas de calidad y precio
e incita al lector
al conocimiento más completo de un autor,
invitándole a aprovechar
los escasos momentos de ocio
creados por las nuevas formas de vida.

Alianza Cien
es un reto y una ambiciosa iniciativa cultural

TEXTOS COMPLETOS

3 95

IGNACIO ALDECOA

El corazón y otros frutos amargos

Alianza Editorial

Diseño de cubierta: Ángel Uriarte

Calle J. I. Luca de Tena, 15; 28027 Madrid; teléf. 741 66 00
ISBN: 84-206-4657-1
Depósito legal: M. 40.772-1994
Impreso en Impresos y Revistas, S. A.
Printed in Spain

El corazón y otros frutos amargos

La cenicienta luz de la mañana enturbia, emborrona el paisaje. El tren de mercancías, con un último vagón de viajeros, recorre los campos lenta, ceremoniosamente. En una ventanilla el rostro de un hombre sufre los cambios, la perplejidad de lo desconocido... Tierra desconocida para sus ojos; aire no respirado jamás. El hombre baja el cristal con tiritantes gotas de condensación. Respira la mezcla de humo de la locomotora y del aire frío, duro, metálico del campo. Está respirando tristeza y libertad.

La estación es como un vagón de tercera clase de las líneas perdidas, de los trenes formados de corrales para hombres. El tren ha frenado su marcha. Escapan los chorros de vapor de la máquina. Luego, la locomotora se desinfla en un soplo largo. Soplo final del que queda como un hilo de silbido, apagado y constante; que abolla, hunde e inutiliza su caparazón de coleóptero enorme.

El hombre salta del vagón. Por la ventanilla abierta le alcanzan la maleta de madera. Una maleta de soldado y de emigrante que anuda en el interior de su tapa sexo y devoción, la tachada pornografía del cuartel y la violenta esperanza en el poder de las imágenes. Luego, el tren arranca con esfuerzo. En el andén queda el hombre, soplándose las manos, frotándose las manos, que tienen un extraño agarrotamiento.

Cruza un ferroviario.

—¿El camino del pueblo?

Por el camino, con la maleta al hombro, avanza hacia el caserío. Ya no advierte dentro de sí otra tristeza que aquella que, con el temor, es común a los recién llegados a alguna parte. Paso a paso, el temor crece y es como nivel ascendente del agua de una gran charca, que quita seguridad a las piernas y que, a veces, anega el corazón. Acorta su andar. Hace un alto y se sienta en la maleta.

Un cigarrillo. El humo, expelido con fuerza, se disuelve en el aire mañanero. Sobre las casas, todavía lejanas, crece el sol dorando la bruma, y el hombre, ya de pie, siente tras de sí su propia sombra arrastrada, fiel, cautelosa como un perro golpeado y amigo.

Recuerda el perfil de las casas abandonadas. Un aire suave empuja a los pardales sobre los campos donde el trigo crece, donde la vid verdea, donde la tierra muestra su cálido color de carne. Vuelve la cabeza hacia la estación. Siente que el corazón se le alarga, que al corazón le ha nacido algo desconocido hasta ahora. Y piensa en las raíces amarillas de las humildes plantas de los caminos de su tierra.

Y sigue andando.

Acaso tiene perfil de ave; acaso sus manos se mueven como alas cuando explica a Juan dónde vive, quién le espera; acaso Juan sonríe únicamente por sonreír. La calle está limitada de grandes tapias con letreros enormes pintados en negro. Deja resbalar la mirada deletreando. *Bodega de los Hijos de Pedro Hernández,* y más allá *Bodega de San Emeterio,* y a la derecha *Bodega de Francisco Oliver.* Las tapias son altas como las de un cementerio, blancas como las de una plaza de toros, tristes como las de una cárcel de ciudad provincial. Y toda la calle es como un gran patio solitario, donde se siente casi muerto, tiene miedo del minuto que llega y anda como un preso, contando los pasos.

Hay grandes puertas, todas cerradas. Y debe acercarse a una de ellas y llamar. Llamar con una piedra puesta encima de un poyo.

La puerta se abre. Frente a él, un gran patio desnudo como la calle. Algún animal inquieto se revuelve en las cuadras. Hace calor. Polvo, secos excrementos de las bestias, piedras puntiagudas. Olor de las mulas, olor de vino, olor de cuero sudado, que seca la garganta.

Sobre las abarcas, de cubierta de ruedas de automóvil, el polvo del camino ha ribeteado las tiras de sujeción. Mira sus pies sucios, su pantalón de pana negra ceniciento, sus manos morenas con puntos blancos en el vello. Le habla un viejo de ojos vivaces, de labios húmedos, que moquea repetidamente. Ha pedido trabajo. Hay necesidad de trabajadores del campo.

El amo tiene las espaldas anchas, está muy tieso pegado a la puerta de entrada a unas cuadras. El viejo se lleva la mano a la gorra.

—Don Adrián, que aquí tenemos a uno que quiere trabajar.

Don Adrián vuelve poco a poco la cabeza.

—Está bien, señor Pedro; entérese, y si le parece bien, que lleve sus avíos al cuarto de los mozos.

No ha mirado siquiera a Juan. El recién llegado recoge su maleta. El viejo le llama.

—Por aquí. ¿Tú, cómo dices que te llamas? ¿De dónde eres?

—Juan Montilla López, para servirle. De Barbarroja.

—Te llamaré el de Barbarroja, así no tengo que pensar en tu nombre.

Y el viejo se echa a reír.

Don Adrián ha vuelto completamente la cabeza.

—Oye, acércate aquí para que te vea la cara.

Juan no se mueve. El viejo le empuja.

—Anda, ve, que te llama el amo.

Se acerca titubeante. El amo ya no le hace caso. Está dando unas órdenes a alguien que anda con los animales en la cuadra.

—Cógelo del nervio, no lo sueltes, no te vaya a dar un disgusto.

Luego se vuelve a Juan.

—¿De dónde eres?

—De Barbarroja.

—¿Cuánto hace que has salido de quintas? ¿Tienes tu cartilla militar?

—Cumplí por junio hará dos años.

Juan hace un movimiento para sacar de su chaqueta la cartilla.

—En tu pueblo, ¿en qué te afanabas?

—Trabajaba en el campo hasta que caí enfermo.

—¿De qué enfermaste?

—Del estómago, señor. Estuve en el hospital...

—Bueno, bueno. ¿Tendrás hambre? Vete a la cocina y que te hagan algo. Aquí hay que trabajar de largo. Tú te entiendes con el señor Pedro, aquí es como si fuera yo. De modo que ya lo sabes.

El señor Pedro sonrió orgullosamente.

—Vamos, perillán; vamos a que te quites el hambre.

—No tengo hambre. Traía unas cosas y he comido hace poco.

—¿Que no tienes hambre? No te dé vergüenza, hombre; ya sabemos cómo venís todos. Anda, a quitar el hambre.

Juan se paró. No sentía hambre y le molestaba el tono del viejo.

—No tengo hambre.

El viejo siguió andando.

—Ahora te metes entre pecho y espalda un buen trozo de tocino y un cacho de pan con un trago, y como nuevo. Si hubieras llegado antes tendrías sopas, pero no te las van a hacer ahora para ti.

Aquel viejo era su enemigo. Ya le había repetido que no tenía hambre. El viejo seguía haciendo comentarios.

—Lo mejor para trabajar fuerte es tener el estómago lleno.

Volvió a reírse.

—Vas a comer bien, vas a echar buen pelo. Aquí se come bien, pero hay que trabajar mucho, mucho, si no... ya sabes, por donde entraste se sale.

La cocina era grande, muy grande; la cocina más grande, a excepción de la del cuartel, que había visto en su vida. Estaba en sombras. El viejo dio una voz.

—¡Chica, échale a éste de comer, que trae hambre!

Se oía un rumor de moscas.

Una mujer llegó de las sombras. Una muchacha con el pelo revuelto. A Juan le pareció que todavía no se había lavado. La muchacha dijo:

—No le dejan a una ni arreglarse, Dios santo; dan más guerra...

El viejo se sonrió.

—Ya tendrás tiempo hasta que vuelvan del campo...

Juan descansó la maleta en el suelo. El señor Pedro se volvió a él.

—Ésta te atenderá; yo vengo dentro de un rato. Procura darte prisa, que hay que ponerse en seguida al trabajo; y ten cuidado con ésta, que tiene en cada mano más fuerza que una mula en cada pata.

El señor Pedro salió.

—El viejo asqueroso... ¿Qué, traes hambre? —dijo la muchacha.

Juan sintió que la palabra le quemaba la garganta.

—Sí.

La muchacha se echó a reír y desapareció.

Juan inclinó la cabeza y contempló las vetas ocres de la tabla de la mesa blanca, gastada de ser fregada, sobre la que había unas migas en las que se apiñaban las moscas. Colocó su maleta sobre el banco, se sentó junto a ella y puso la gorra negra que llevaba en un bolsillo bajo el asa metálica. Luego estiró las piernas. La muchacha apareció en aquel momento y él se encogió y escurrió el culo hasta el borde del banco.

—Tú en que estás acostumbrado a beber, ¿en porrón o en bota?

—En porrón.

Sus manos cercaban el pan, el tocino y el vino. La chica se sentó frente a él.

—¿De dónde eres?

—De Barbarroja.

—¿Y es buen pueblo? Bueno no debe ser; bueno no hay pueblo alguno. ¿No crees?

Juan seguía con las manos en torno de la comida. La muchacha dijo:

—No parece que tengas mucha hambre. Anda, come algo.

Juan tenía ganas de preguntarle su nombre.

—Tú, ¿cómo te llamas?

—María. Pero ¿no vas a comer?

Juan miraba a la muchacha. Le hubiera gustado compararla con cosas. Algunos amigos suyos de Barbarroja sabían comparar a las mujeres con cosas. Uno que había cumplido el servicio en Madrid hablaba a las mujeres hasta que las calofriaba.

Los ojos de María eran claros; tal vez claros como un vino blanco reposado y con la misma lucecita oscilante y dorada del vino blanco. La muchacha estaba retirando la comida.

—Por lo menos bebe algo —dijo.

Sus labios daban un poco de miedo y un poco de alegría. El inferior estaba cortado por una cicatriz.

Juan preguntó de pronto.

—¿Qué te pasó en el labio?

—Me caí jugando... A la salida de la escuela, cuando era chica... Me mordí...

Entró el señor Pedro.

—Qué, ¿has recuperado el habla comiendo?

No dejó lugar a contestación alguna.

—Pues andando, que hay mucho que trabajar. Deja la maleta en un rincón donde no estorbe. La llevarás al cuarto a mediodía.

Juan se levantó y miró a la muchacha enfrascada en el trajín de la cocina. Pensó: «Adiós, María; a la hora de comer te volveré a ver. Me tienes que contar otra vez lo del labio...»

Juan salió sin decir nada.

El viejo hablaba y hablaba.

—Tú ya conoces a las mulas. Tú, ahora, coges el carro que te voy a decir y te vas soltando. Te voy a acompañar hasta un sitio que le dicen de la Fuentecilla, y de allí me vuelvo. De allí no tiene pierde. El camino es recto y se ven los mozos. La Fuentecilla, tú la verás, está pegando a las eras. No sé por qué le llaman la Fuentecilla. Son cosas de este pueblo, porque yo ya soy viejo y no he conocido nunca la fuente que dicen...

El sol se movía lentamente por el cielo. El sol se levantaba de un brinco, pero luego le costaba moverse. Hasta las once andaba despacio. A las once le entraba la ventolera y echaba a correr. Y a las doce se clavaba. Y a las cuatro de la tarde una carrera en pelo hasta las ocho, dejando toda la tierra amarilla o roja según el tiempo. Al sol le ocurría lo mismo que a los hombres y a las mulas. Trabajaba a golpes. A las ocho llamaba la cuadra, el estómago, la charla en la cocina o al pie de los corrales. Llegaba la noche, que era como una iglesia sin luces, donde no se hablaba más que en voz baja.

El señor Pedro bajó en la Fuentecilla.

—Tira para adelante, como te he dicho, y vuélvete para casa en cuanto cumplas.

—Sí, señor.

Las mulas caminaban lentamente. Daba tiempo a pensar. Le gustaba pensar en mujeres. El ruido de los cascos era apagado. Mujeres de las fiestas de Barbarroja. El baile y las borracheras. Convenía estar algo bebido en el baile, se sacaba más partido de las mujeres. Estaba uno más valiente. Pero no había que emborracharse mucho, aunque a veces sucedía que uno acababa enteramente borracho antes de darse cuenta de lo que estaba pasando. Entonces había broncas porque había apuestas. El amor propio lo transformaba a uno en un toro furioso. Un hombre sin amor propio vale menos que una colilla. Un toro furioso. Juan silbó. Las mulas llevaban las cabezas gachas.

Eran las siete y media de la tarde y estaba anocheciendo. Llegaron los mozos de la casa. Siete en total. No conocía a algunos.

—Aquí, Rogelio, al que llamamos, aunque se cabrea, *el Tirantes,* y no nos da la gana decirte por qué —Rogelio, *el Tirantes,* refunfuñaba.

—Aquí, éste, que es de un pueblo junto a Valdepeñas, que vino enteramente chupado y ha pelechado; dice que se quiere casar, pero que no se atreve porque las mujeres son muy especiales y es muy difícil acertar con una buena. Aquí, éste, que se llama como tú y anda bebiendo los vientos por la chica. Le llamamos *Rediez,* porque dice eso a todas horas. Tiene mal genio. ¿Verdad muchacho, que tienes una mala uva de guardia? Y a todos los demás ya los conoces; y si no los conoces, los vas conociendo, que tiempo tienes.

María estaba oyendo las presentaciones y riéndose entre labios. Juan miró a Rogelio, *el Tirantes;* luego al de junto a Valdepeñas, por fin a su tocayo.

El tocayo se dirigió al que hacía las presentaciones:

—Y él, ¿cómo se llama?

—Que te lo diga.

Juan habló:

—Me llamo Juan Montilla López.

—Vaya.

El de las presentaciones interrumpió:

—Le llamaremos *el de Barbarroja* —y aclaró—: es que es de un pueblo que se llama Barbarroja, de por Toledo, ¿no, tú?

—Sí, de por Toledo.

Hicieron un silencio. El que había presentado a los mozos dijo:

—Bueno, chica, sácate un trago de vino, que hay que celebrar la llegada de éste.

El señor Pedro entró dando voces:

—¿Se ha echado el pienso al ganado? ¿Se han puesto los aperos en su lugar? ¿Se ha bajado a la bodega a limpiar la tinaja grande?

—Todo se ha hecho —respondió el de las presentaciones—; íbamos a celebrar la llegada de este compañero con un trago.

El señor Pedro asintió:

—Eso está bien; contad conmigo.

Y llamó:

—Chica, tráete un par de porrones.

Ya era de noche, Juan estaba sentado en un banco pegado a la pared. Guardaba silencio. Veía a María moverse entre los hombres. El que decían *Rediez* murmuró algo al oído de la muchacha cuando pasó junto a él. Oyó lo que dijo la muchacha.

—Fuera de aquí, asqueroso; habráse visto.

Todos rieron apagadamente. Juan no se rió. El señor Pedro le miró.

—¿No te hace gracia?

—No lo he oído.

—Es que creíamos que no te hacía gracia. Puede que tú seas más gracioso que él y que nos puedas divertir un rato. Anda, prueba, cuéntanos algo.

Juan le miró de reojo.

—Yo no tengo nada que contar.

—Algo tendrás que contar —insistió el viejo sonriéndose—. Anda, prueba. Aunque no tenga gracia, reiremos lo que cuentes.

Todos los mozos estaban atentos. Juan pensó que no debía llevar la contraria al señor Pedro y empezó titubeante a contar algo muy vago de un cura, un alcalde y un tío avaro. De pronto se calló. El señor Pedro le instó para que continuase:

—Sigue, sigue, que vas bien.

—Ya se ha acabado.

El señor Pedro le miró sorprendido. Todos le miraron. El señor Pedro afirmó:

—De verdad, no tienes gracia.

Luego le olvidaron. María se acercó a Juan.

—Son todos igual. No les divierte más que contar porquerías. Sobre todo, el viejo. El viejo es el más culpable y el más cerdo.

María se fue hacia la cocina.

—Ahora sí que tendrá algo gracioso que contar. Anda, dinos lo que te ha dicho la chica. A ver si vas a ser tú quien se lleve el gato al agua. Tendría su gracia, hombre.

Luego se dirigió a todos:

—Tendría gracia que éste —recalcó—, éste se llevase a la chica, ¿eh, *Rediez*?

Juan se levantó del banco; pasó por delante del señor Pedro.

—¿Adónde vas tú?

—Voy a tomar el aire, hace calor aquí.

El señor Pedro se encogió de hombros.

Juan salió al patio. Fue a la rinconada donde había dejado el carro a mediodía. Se apoyó en una de las varas. Gimió lentamente la madera. Estaba contemplando el cielo.

Juan contaba las estrellas y las agrupaba por docenas. Lo mismo que si contara huevos. Era un juego de su niñez el de las docenicas. Cuando era niño jugaba a hacer docenicas de estrellas con su madre. Se había divertido mucho, sentado en el umbral de la puerta de su casa. Todo consistía en tener mejor vista que nadie, y el juego no se acababa nunca. Los niños hacían un tubo con la mano. «Mira por aquí, ¿cuántas ves?» «Veo siete.» «Pues hay lo menos quince.» La madre aclaraba: «Hay más de mil, pero están tan lejos que no se ven.»

Juan escuchó unos pasos que se acercaban por lo oscuro. Miró hacia la ventana de la cocina. Todavía seguían bebiendo vino y escuchando al señor Pedro los mozos. No los podía ver a todos, pero al señor

Pedro y a *Rediez* y al de las presentaciones y a María, riéndose, los veía.

Los pasos se acercaron.

—¿Qué haces ahí, Juan?

Le pareció que era la voz de Rogelio, *el Tirantes.*

—Tomo el aire. ¿Quién eres tú?

—Soy Rogelio.

Los dos quedaron en silencio. Rogelio le ofreció tabaco. Luego dijo:

—A mí me gustaría marcharme de aquí. No me encuentro a gusto.

—Y, ¿por qué no te vas?

—No sé; irse solo da un poco de apuro. Ir solo buscando trabajo no es conveniente. Me iría si encontrara un compañero.

—¿Andas buscando compañero?

—Sí, un compañero. Me iría hacia el sur, a la boca de Andalucía, o hacia Levante, al espaldar de las huertas. Por allí tiene que haber buen trabajo y tranquilidad.

—¿No te gusta esto?

—No, no me gusta.

Fumaban tranquilamente.

—Es una hermosa noche —dijo Juan.

—Sí, es una hermosa noche.

Rogelio titubeaba; quería decirle algo importante y no encontraba palabras.

—Oye, tú, mira; yo apenas te conozco, yo no tendría por qué hablarte así; por eso, si quieres, me callo y a otra cosa...

—Di, hombre, di.
—Tú me parece que te has fijado mucho en esa chica, en María...
Juan arrojó el cigarro.
—¿Por qué te lo parece?
—Bueno, me lo parece, aunque pueda que no sea verdad, que yo esté equivocado.
Juan calló un momento.
—Sí, tienes razón; me he fijado mucho en esa chica, ¿y qué?
—Que no lo debías haber hecho. No es buena, aunque si tú tampoco vas a las buenas... *Rediez* es el que tiene la palabra y lo que quiere con esa María. De ti se va a reír. Piénsatelo.
Juan estaba de pie, muy cerca de Rogelio.
—Me lo pensaré, gracias.
Echó a andar y entró en la cocina.
El señor Pedro contaba algo muy gracioso a María y a *Rediez*. Los otros mozos se habían ido al cuarto a descansar. Juan se sentó en el banco y bebió de un porrón. Tenía la boca agria, demasiado agria; le sabía a tocino rancio y a pepitas de frutos.
El señor Pedro se despidió:
—Que mañana hay que estar arriba pronto, que hay mucho trabajo.
Rogelio estaba en la puerta. María y *Rediez* seguían hablando. Juan fue donde Rogelio.
—Me voy al cuarto.
Subieron.
El cuarto de los mozos era un largo desván con

unas cuantas camas de hierro. Cuatro estaban separadas de las demás por unas arpilleras que colgaban del techo.

—Tu cama está más allá de la arpillera, junto a la del de Valdepeñas. Mírala antes, no te hayan metido pelo de mula y te pases toda la noche brincando. Sacude las sábanas.

—Gracias.

Hizo lo que le había indicado Rogelio. Se desnudó y se tendió en la cama.

La oscuridad era pesada. La profunda respiración de los mozos, el calor que se desprendía y como chorreaba del tejado, el cansancio doloroso de todo el cuerpo relajado sobre el lecho de colchón de paja, desvelaba a Juan.

Estuvo pensando un rato. Estaba dispuesto a preguntar a *Rediez* por la muchacha. Rogelio había hablado de María, pero era necesario enterarse de la verdad. Todos eran gentes muy raras. Lo mismo el señor Pedro que *Rediez,* que Rogelio, que María, que todos. Rogelio tenía aquella manía de marcharse. ¿Por qué se querría marchar? También se lo preguntaría seriamente. Y *Rediez,* ¿qué se traería con la muchacha? Y el señor Pedro, ¿lo sabría?

Le dolía la espalda y sentía por las piernas como una tensión dolorosa.

Ya había pasado mucho tiempo. Estaba a punto de dormirse. Al día siguiente, cuando fueran al campo, si le tocaba ir en la cuadrilla de *Rediez* se lo iba a preguntar; estaba decidido.

Alguien corrió la arpillera. La cama a cuatro pasos de la suya estaba vacía. La masa de un hombre ocultó la breve claridad de la noche que entraba por un ventanuco.

—¿Quién eres tú?

—¡*Rediez,* quién soy! ¿Estás ciego?

Juan se volvió de lado, dando la espalda a la cama vacía. Oyó los pantalones de *Rediez* caer al suelo. El colchón hizo un ruido como de chisporroteo. Ahora le hubiera podido preguntar por la chica. Sintió las palabras a punto de brotar de los labios. Le amargaba la boca. Quiso pronunciar la palabra María. Apretó la boca sobre el cabezal. *Rediez* empezaba a respirar sonoramente. La palabra se apagó en sus labios.

Cuando bajó a la cocina por la mañana María andaba colocando unos pucheros de barro con sopas de ajo por la mesa. Juan estaba más cansado que el día anterior a la hora de acostarse. Saludó a la chica.

Rogelio entró y fue a sentarse junto a Juan.

—Mañana me voy. No digas nada. Me voy temprano a coger un tren que pasa en dirección a Alcázar. Habrá que darle algo al del tren para que me deje subir, pero me ahorraré una buena caminata.

—¿Solo?

—Sí, solo; a no ser...

Juan se levantó.

—Que tengas suerte.

Salieron al campo en dos grupos. Delante de Juan caminaba *Rediez* y un compañero. Le llegaban retazos de conversación.

—... si tuviera dinero me iba a estar aquí. Con un pequeño apaño que tuviera en mi pueblo, me largaba... Uno se harta de respirar siempre el mismo aire...

Juan silbaba. Miró a una abubilla levantar el vuelo delante de ellos en el perfil del sendero. Era bonito el pájaro, pero olía mal. Una vez, de niño, había cogido una abubilla con los amigos, le ataron una cuerda a una pata y la llevaron hasta el pueblo. Los mayores les hicieron soltarla. Era mejor volando.

La viña se extendía verde y ordenada delante de sus ojos. Tendrían que trabajar todo el día. A mediodía, María les traería la comida. Si venía con el carro, se tumbarían los hombres un rato a la sombra después de comer. Luego seguirían trabajando hasta que el sol descendiese rápidamente y casi se hiciese oscuro. *Rediez* le llamó.

—Tú, ponte al lado mío con la azada por la ringla ésta. Ése se va hasta el final y avanza hacia nosotros. Así se facilita el trabajo; quiero decir que no dejaremos nada a medias. Llegaremos hasta donde podamos...

Comenzaron a trabajar en silencio. A la media hora, *Rediez* hizo un alto.

—Vamos a fumar un cigarro.

Le pasó la petaca.

Daba gusto tener la petaca de *Rediez* entre las manos. Era grande, de cuero casi negro por lo sobado, suave como un rostro recién afeitado, hinchada de tabaco, hinchada como un músculo en tensión.

Fumaban. *Rediez* le preguntó:

—Y tú, ¿piensas estar mucho por aquí?

—Pues no sé, según vaya el trabajo. A mí no me gusta variar, pero el trabajo es el que manda.

—Ya te cansarás de estar aquí. Yo me canso pronto de estar en cualquier sitio. Me gusta andar por el mundo. Aquí, no sé por qué, llevo ya mucho tiempo, lo menos un año. Pero cualquier día me largo; no es para mí el estar tiempo en un solo sitio.

Juan se atrevió a preguntarle:

—Y aquí, ¿por qué estás tanto tiempo?

—Cosas... ¡Quién sabe!

Juan fingió reírse.

—Tal vez, la chica.

—Tal vez.

Rediez miró hacia el horizonte, de un azul cegador. Luego aclaró:

—Puede que no sea la chica sólo. Siento a veces como un encogimiento dentro de mí. No debo ser el mismo de antes. Antes... ni una chica, ni nada.

Rediez se inclinó sobre la tierra y principió a trabajar.

—Hay que acabar esto —añadió—; luego nos tomamos otro descanso y, para cuando nos demos cuenta, ya ha llegado el mediodía.

Juan le imitó. El compañero se acercaba por la ringla de *Rediez.* Éste había adelantado un poco a Juan.

. . . .

Se acercaba el carro con María. El sol estaba en su cenit.

Se incorporaron *Rediez* y Juan.

—Puntual —comentó *Rediez*—. Nos va a venir bien un trago. Deja la azada y vamos a su encuentro.

María saltó del carro.

—Qué hay, buenas piezas. ¿Tenéis hambre?

Rediez le dio un azote cariñoso.

—Cualquier día te como.

—No tienes tú dientes.

María se reía.

Soltaron la mula y le enlazaron las patas delanteras. El animal ramoneaba en el ribazo.

Comieron en silencio. María preguntó a Juan:

—Y a ti, ¿qué tal te va?

—Bien, por ahora.

—Vaya, me alegro.

Luego se dirigió a *Rediez*.

—Cuida bien de éste, no se vaya a estropear, que es muy señorito.

—Ya se sabe cuidar solo.

Luego María le dijo, poniendo un gesto picaresco:

—¿Qué tal has dormido esta noche?

—Bien, ¿por qué?

—Hombre, qué sé yo; siempre se extraña una cama nueva. ¿No has sentido picores?

Juan la miró.

María estaba sentada en una de las varas del carro, pasándose las manos por los muslos. Juan la observaba detenidamente. *Rediez* se había echado a dormir. El otro compañero estaba bajo el carro, roncando.

—Tú, ¿tienes novia? —preguntó María.

—No.

—¿Has tenido alguna vez novia?

—Sí, alguna vez...

María se atusó el pelo. Juan le preguntó:

—Tú, ¿tienes novio?

—No. No me tira eso. Me gustan los hombres, pero eso de los novios... ¿Para qué quiero yo un novio? ¡Qué cosas!

—Tú tienes algo muy raro.

María se rió a carcajadas.

—¿Que yo tengo algo muy raro? Pregúntaselo a éste.

Estiró la pierna y le dio una patada en la espalda a *Rediez*.

—¿Qué pasa?

—No te enfurezcas, hombre. Éste dice que yo tengo algo muy raro. Di tú, ¿tengo yo algo raro?

—No, y déjame en paz.

—Bueno, hombre, bueno...

Se dirigió a Juan.

—¿No ves? Yo no tengo nada raro. Soy así.

—Puede que no sea buena forma de ser.

—Cada uno es como es, y no varía por mucho que le digan. Me iba yo a preocupar de cómo son los demás.

María hizo un silencio hostil. Después dijo:
—Bueno, tienes razón.
Añadió:
—Vosotros, despertaos, que me marcho. Salid fuera.
Rediez se levantó de mal humor.
—Anda, lárgate, que no le dejas a uno tranquilo ni un minuto. Lárgate cuanto antes.
—Lo mismo te podía decir yo. Tú, ¿me dejas a mí tranquila?
Engancharon la mula. Al poco tiempo el carro había desaparecido en el camino.
Juan comentó con *Rediez.*
—Es una mujer muy rara.
—¿Rara? ¿A eso le llamas tú ser rara? Lo que es... Bueno, vamos al tajo. Ahora tú trabajas del final de la viña hacia nosotros.
Juan cogió la azada y caminó hasta el final de la viña.

Era de noche. Habían dado las once. Rogelio le llamó a Juan:
—¿Quieres venir un momento al patio?
Salieron. Un vientecillo ligero levantaba briznas de paja de un montón.
—Mañana me largo. Ya he cobrado, Juan. ¿Te vienes tú?
—No.
—Bueno, allá tú. ¿Sabes quién se viene también?

—No.

—He hablado hace un momento con él y ahora está charlando con el señor Pedro. Yendo en cuadrilla se encuentra más fácilmente trabajo. Piénsatelo.

—Pero, ¿quién es el que se va?

—Creí que te interesaba; a ti qué más te da, si no te vienes con nosotros.

—¿Quién se va contigo?

—*Rediez*.

—*¿Rediez?* ¿Y la chica?

—En seguida encontrará otro. ¿Por qué?

—Por nada.

—Bueno, pues quedamos despedidos. Que tengas suerte.

—Espera un poco.

—¿Qué?

Juan miró a las estrellas. Encima de su cabeza había una docena justa de estrellas brillantes.

—Oye, yo también me voy.

Rogelio se echó a reír.

—Cambias pronto de parecer.

—Voy a hablar con el señor Pedro.

La mañana estaba fresca. Caminaban los tres rápidamente por el camino. Juan miró atrás, hacia el pueblo. La abubilla, el pájaro de las huellas, estaba parado en medio del camino. *Rediez* miró también atrás. Comentó:

—Un pájaro raro, ¿eh? Está en todos los caminos. Dicen que se posa sobre las huellas y las borra. La verdad es que hace otra cosa muy asquerosa, pero es bonito que sea así. Va por los caminos borrando huellas. Huele mal y es muy hermoso. Tiene unos ojos muy extraños. Y ese color de vino añejo de las plumas...

Juan miró hacia adelante. La estación estaba solamente a un paso. Hacía dos días que había bajado allí de un tren de mercancías con un vagón de viajeros. Ahora... Juan silbó. Miró por última vez hacia atrás. La abubilla volaba en dirección al pueblo. De pronto se posó, borró una huella y levantó el vuelo.

Un tren se acercaba a la estación. Juan escupió la saliva amarga de la mañana.

—¿Ése es el que nos lleva?

—Ése.

Rogelio fue hacia el último vagón, donde iba el jefe de la composición. Al rato volvió donde ellos.

—Nos tenemos que bajar antes de llegar a Alcázar. Dice que está muy castigado y que le puede dar un disgusto.

Rediez hizo una mueca.

—No te preocupes, hombre, un salto y todo arreglado.

Subieron en un batea que transportaba maquinaria agrícola.

—¿Le has dado algo? —preguntó *Rediez*.

—Sí, ya arreglaremos cuentas cuando lleguemos.

El tren comenzó a andar. Juan miraba el largo camino del pueblo. Un largo camino amarillo, dorado por el sol, desde la estación hasta el pueblo. Volvió a escupir su saliva amarga. Luego se tumbó sobre el suelo con la cabeza apoyada en su maleta de madera.

—¿Y hacia dónde tiramos? —preguntó *Rediez.*

—¡Quién sabe! —respondió Rogelio.

Rediez extendió la mano hacia Juan con su petaca. Juan la acarició un momento.

—No quiero fumar —dijo.

Y cerró los ojos. El traqueteo del tren le daba sueño.

Rogelio y *Rediez* comenzaron a hablar del verano.

Balada del Manzanares

Del oeste al sur, largas agujas de nubes de dulzón color corinto. Del oeste al norte, el templado azul del atardecer. Al este, las fachadas pálidas, los cavernosos espacios, la fosfórica negrura de la tormenta y de la noche avanzando. Alta, lejana, como una blanca playa, la media luna.

De los campos cercanos llega un aire adelgazado, frío, triste. Los humos de las locomotoras, los humos de la cremación de las hojas secas, los humildes humos de las chabolas de la ribera derecha, empañan la cristalina atardecida. Murciélagos revolando el cauce del río chirrían sus gritos, trapean sus alas. La arboleda es un flotante, neblinoso verde. El Manzanares se tersa y opaca en una larga fibra mate. No cesa, no calla, el irritante altavoz del último merendero, del merendero del otoño. Colmena un avión en el cielo del ocaso, verdeamarillo ya, sobre los cerros negros de la Casa de Campo.

De los talleres caminan los obreros a la ciudad. De los talleres, una cansada fuerza de río caudal, que se ha de perder en laberintos urbanos hasta la mañana de la contracorriente; la mañana inhóspita, agria, de los talleres...

Faroles de gas. Bajo la vegetal luminosidad de un farol alguien espera. Los faroles hacen más vagos los perfiles del atardecer, más lejano el permanente *flash* de la media luna, más profundos los oscuros de la arboleda. Bajo el farol de gas se acaba la espera.

—Hola, Pilar.

—Hola, Manuel.

—¿Vamos, Pilar?

—Vamos, Manuel.

—¿Vamos hacia la estación, Pilar?

—Vamos donde tú digas, Manuel.

—¿A tomar un vermut, Pilar?

—Yo, un café con leche, Manuel.

—Tú, un café con leche, Pilar, y yo...

—Tú, un vermut, Manuel.

—¿En el bar *Narcea,* Pilar?

—Mejor en *Cubero,* Manuel.

—En el *Narcea* es mejor el café, Pilar.

—En *Cubero* dan más tapa con el vermut, Manuel.

—Estás muy guapa, Pilar.

—¿Sí, Manuel?

—Sí, Pilar.

—¿Te gusto, Manuel?

—Sí, Pili.

—¡Qué bien, Manolo! Te quiero.

—¿Mucho, Pili?

—Mucho, Manolo. ¿Y tú?

—Mucho, Pili.

El ferroviario Manuel se escalofría. Pregunta:

—¿Vamos, Pilar?

—Vamos, Manuel.

A los novios les gusta repetir los nombres; a los jefes les gusta repetir los apellidos. El jefe de la parada de tranvías de la Estación del Norte da órdenes. Grita al cobrador del tranvía de Campamento:

—González, cambie el trole; dése prisa... González, páseme el estadillo... González, ¿me oye?

Grita al conductor del tranvía de Campamento:

—Rodero, cinco minutos de retraso... Rodero, que hay que recuperar... Rodero, salga en seguida.

Grita al viejo guardavías:

—Muñoz, no se duerma... Muñoz, vamos ya... Muñoz, ojo al 60.

Los soldados patinan sobre los herrajes de las botas entrando en el Metro atropelladamente. La cerillera joven se desgañita:

—¡Tíos asquerosos, borricos!

La castañera la apoya:

—Son como salvajes.

El ciego mueve la cabeza:

—Cuarenta iguales.

Desde su quiosco, la vendedora de periódicos contempla la vida aburridamente; contesta a un cliente:

—«Marca» se ha acabado.

Pilar y Manuel han pasado el bar del buen café y el bar de la gran tapa. Entran en *Revertito.* Tienen que reñir un poco, deben reñir un poco. Es el amor.

—¿Por qué tienes que estar a las ocho en tu casa, Pilar?

—Te lo he dicho tres veces, Manuel.

Manuel se pone flamenco, porque es parte del juego.

—No me vale, Pilar.

Pilar se desespera falsamente, porque sabe que debe hacerlo.

—¡Cómo eres, Manolo!

Manuel hace un silencio. Pilar insiste.

—Es que mi madre me ha dicho...

—Tu madre...

—Es que mi madre, hasta que nos casemos, es la que manda.

—Es que puede que no nos casemos.

Pilar hace un silencio; tiene los ojillos brillantes. Manuel se crece.

—Es que esto va muy mal y puede que no nos casemos...

Pilar no despega los labios... Continúa Manuel:

—...porque ya estoy harto, ya estoy que no aguanto un pelo...

Pilar fija los ojos en el espejo de detrás del mostrador. Manuel se pasa de la raya.

—... ¡Me vas a decir tú!... Te dejo y me olvido, y se acaba tanta gaita.

Pilar reacciona. Se yergue orgullosa, digna, superior.

—También me estoy cansando yo. Cuando quieras, lo dejamos. Cuando quieras, te vas; pero para siempre, nada de volver. Para siempre, ¿lo entiendes?

Manuel encuentra que la mejor manera de quedar bien, de quedar como un hombre, es pedir un vermut más.

—Otro vermut.

Pilar taconea, fingiéndose distraída, contemplando la glorieta a través de los ventanales. Manuel procura ser irónico.

—¿Mucha prisa?

El taconeo de Pilar tiene ritmo creciente.

—Ya lo sabes.

—Tu madre, ¿verdad?

Pilar hace un gesto; aprieta los labios; luego dice:

—Bueno, ¿vienes o te quedas?

Es de noche. Los nubarrones de la tormenta se han extendido hacia el sur. Manuel lleva la zamarra de cuero abierta, porque siente el sofoco de los vermuts. Pilar camina a su lado, en silencio. Manuel silba.

Es de noche. Los relámpagos se pierden en el llanón. El cambio de troles en la parada fabrica relámpagos. El jefe se distrae hablando con el guardia de la salida de coches de la estación. Una larga fila de soldados espera el tranvía de Campamento. La cerillera joven conversa con un soldado galante.

—Te llevo al cine cuando tú digas.

La cerillera frunce los labios.

—Para cines estoy yo.

—Al que tú digas, preciosa.

—Pero, criatura, ¿tú te crees que voy a ir al cine con un biberón como tú? ¡Anda ya!...

El soldado se desconcierta momentáneamente; se recupera en seguida.

—Chata que te conozco.

—¿Tú? ¿A mí? ¡Anda ya!...

Un compañero del soldado galante le grita desde la larga fila del tranvía.

—Luis, vente ya, que lo pierdes.

El soldado Luis se encampana en la despedida.

—Mañana te vengo a buscar, rica.

—¡Que te frían!

—Te llevo al cine o donde tú quieras.

—No tienes tú dinero para llevarme donde yo quiero.

—Hasta mañana, chata.

El soldado Luis corre hacia el tranvía. La cerillera joven atiende a un cliente.

—Una peseta son cinco.

—Deme cinco.

Es de noche. Antes de llegar a la glorieta de San Antonio, Manuel compra cacahuetes en el puesto del paisano, que también vende fruta, patatas fritas, pepinillos en vinagre y cordones para los zapatos. Da como gusto pensar lo bien que se debe de estar dentro del puesto del paisano, charlando con la novia, los pies junto a un brasero y comiendo cacahuetes.

—¿Quieres, Pili?

Manuel se somete poco a poco. Pilar no contesta.

—Anda, Pili, que los he comprado para ti, porque sé que te gustan.

A Manuel le han enternecido los vermuts.

—Anda, no seas tonta, Pili; cómete uno, sólo uno, para que vea que no estás enfadada.

Manuel la coge del brazo. Pilar camina fría, grave.

—Pili, que te quiero.

Hay un silencio.

—Anda, Pili, que te pido perdón. ¿Me perdonas?

Pilar concede:

—No tengo que perdonarte nada, Manuel.

—Sí, Pili; me tienes que perdonar. ¿Me perdonas?

—Te perdono, Manuel.

La mano de Pilar busca la mano de Manuel. La estrecha fuertemente.

—Es que eres, Manolo... Mira que la gozas haciéndome sufrir...

—Ya está olvidado, ¿verdad, Pili?

—Sí que está olvidado, Manolo; pero eres...

—¿Quieres un cacahuete, Pili?

—Sí, Manolo.

—¿Te lo pelo, Pili?

—Como tú quieras, Manolo.

—Pues suéltame la mano, Pili.

Manuel le da los cacahuetes a la boca.

—¿Quieres más?

—No, Manolo, que me ahogo.

Por el paseo de la orilla del río las sombras de los árboles forman un túnel. En las aguas del Manzanares navega la media luna fosfórica, titubeante, profunda. En lo lejos, corriente arriba, ladra un perro.

—¿Te ahogarías conmigo, Pili?

—No me importaría si fuéramos los dos. Me ahogaría contigo.

—Pili...

Manuel hace una pausa.

—Pili, ¿vas a hablar de lo nuestro para pronto?

—Sí, Manolo.

—Nos casaremos antes de Navidad.

—Lo que tú digas, Manolo.

El perro sigue ladrando; a la luna, a la oscuridad y al amor. Las nubes han crecido del sur al oeste.

—Vámonos de lo oscuro, Manolo.

El rumor del río se hace pequeño.

—Vámonos de lo oscuro, Manolo.

—Pili...

—Vámonos, Manolo.

—Vámonos.

En la noche, corriente arriba, el perro ha dejado de ladrar. La luna navega cielo raso tras las nubes. El agua del Manzanares ya es negra.

Chico de Madrid

El mejor y más bonito modo de atrapar gorriones es el de la sábana emplomada cuando hay nieve, acercándose a la bandada silbando de distraídas. Si se quiere apedrear a un gato desinflado de hambre y pelón de tiña, lo importante es el sigilo, llevando las alpargatas colgando del cinturón. Para cazar una mariposa es necesario fingirse miope y poseer una boina grande, sucia y agujereada. Tratándose de un perro vagabundo, al que hay que atar una ristra de latas vacías a la cola, la técnica exige guiñar un ojo y caminar a la pata coja, como si se jugara. Las lagartijas requieren el cuerpo erguido, mirada al frente y una delicada y cimbreante varita de fresno. Los grillos piden para que se les haga prisioneros tino y necesidades verecundas. Así, y no de otro modo, son las ordenanzas.

«Chico de Madrid» era un maestro zagalejo de moscas y Job caracol, llevando consigo un estercolero; a sus trece años sabía mucho más de caza suburbana que el más calificado cinegético. Se había educado en las orillas del Manzanares, aprendiéndolo todo por experiencia. «Chico de Madrid» era bisojo y autodidacto, sucio y tristón, colillero vicioso y rondador de cuarteles en busca del pre sobrante; saltaba tapias y trepaba a los árboles con agilidad, pero nunca se salió de la ley. Tenía algo de orgullo y bastante puntería, por lo que pudo tener pandilla o doctorarse en golfo o pertenecer a cualquier sociedad de pequeños ladrones. Mas nada de esto le interesaba, porque poseía un alma pura y aventurera. Proposiciones tuvo de pecar del séptimo y ciertos vividores de orilla le pronosticaron una gran carrera, mas él prefirió siempre la alegría de sus cotos y el croar de las ranas cuando, panza arriba, contemplaba las estrellas en las noches de verano, luminoso y santificado por las luciérnagas y llevándole el sueño las libélulas, el sueño y los picores de los piojos que olvidaba.

«Chico de Madrid» no se metía con nadie; vivía a temporadas con su madre, viuda de un barrendero, que se dedicaba a vender caramelos y semillicas a los niños más pobres de la ciudad; vivía, por duelo y misterio, algunas veces en cuevas de solares y otras en garitos —cuando apretaba el padre invierno— de perra gorda y abundante compañía. Comía lo dicho antes: sobrantes de rancho y alguna fritanga de extraordinario. Se empleaba de recadero con el dueño de un tiovivo, diminuto y solitario, colocado junto a un puesto de melones —cuando había melones—, que casi nunca funcionaba, y al que traía arenques y vino aguado para las comidas; chismes de un lado y otro para las sobremesas. Con los gorriones sacaba algunas pesetas; con los grillos, pan y tomate; con las lagartijas, harto solaz, y con los perros sacó una vez un mordiscote que le dio fiebre como si estuviera rabiado, y que le obligó a andar con tiento en adelante.

Casi era el único viajero del tiovivo. Se reía con todas sus fuerzas viajando en el aeroplano de hojalata o en el cerdito desorejado o en el rocinante, desfallecido de antiguos galopes en las verbenas de verdad. Porque aquella verbena, su verbena, era una especie de asilo de inválidos que las corrieron buenas, pero que ya no estaban para muchas. Al dueño, que se llamaba Simón y tuvo barraca de monstruos de la naturaleza cuando joven, se le ocurrió repintar el tiovivo. Nunca la gozó más «Chico de Madrid»; se puso hecho un adefesio, y entre ambos dejaron todo pringoso y con expresivas huellas digitales. La pintura se la habían comprado a un chapucero y era de tan mala calidad que no se secaba; el polvo se pegaba en todas partes, ennegreciendo el conjunto, según ellos. Para colmo, todos los niños que se montaron con sus trajecitos limpios, el domingo de aquella semana, salieron verdaderamente repugnantes, costándole a Simón muchas reclamaciones de indignados padres y llantos de niños de diversos colores, que se retiraban de su clientela. Simón cambió de barrio, pero «Chico» no se fue con él porque era, ante todo, libre, y porque las orillas del

Manzanares tenían mucho que descubrir y que colonizar.

Llegó la temporada de las ratas... Las ratas no son animales repugnantes y tienen, por otra parte, el morro gracioso y los bigotes de carabinero del tiempo de Mazzantini. Las ratas viven en una ciudad al revés, que impulsa a despreciar las pompas y vanidades humanas; una ciudad donde hay mucho sueño y donde ni ellas pueden dormir. «Chico de Madrid» mataba las ratas, las mataba por *sport,* como otros matan pichones. Se divertía con su tiragomas, «paqueándolas» sin prisa. Conocía la mejor hora: la del atardecer, cuando la tierra se pone morena y hay violetas en los tejados y el primer murciélago hace su ronda de animalejo complicado. Se sentaba solemne frente a las cuevas, mirando fijamente con la media risa de sus ojos, el arma homicida sobre las piernas y una canción como de cazadores por los labios. Se decía a sí mismo:

—Ya está. Asoma, bonita.

Y la rata averiguaba con su morrito saltimbanqui lo que había en la tarde. Luego la veía en silueta, aún indecisa, dando una carrerilla hasta la trinchera del río. Se encendía un farol lejano que enviaba una triste luz de iglesia pueblerina hasta la orilla. «Chico» tensaba las gomas. La rata presentía algún peligro y daba la vuelta; iba a correr a su agujero. Aquél era el momento; le costaría subir. «Chico» empujaba una piedrecilla con el pie. La rata salía disparada y de pronto se le quebraba la vida en un aspaviento. Le había acertado. Después bombardeaba el cadáver con pedruscos. Solía hacer tres o cuatro víctimas por sesión.

Las ranas también le atraían. Mostraban su barriga búdica y una como papada de bonzo bien alimentado que le despertaban escalofríos criminales. Las atrapaba por el método del caracol y luego les hacía el martirio chino, cumpliendo un rito geográfico de grave importancia cultural. Acababa malvendiéndolas en algún figón, y con las monedas que le daban se iba al cinematógrafo, que todavía era mudo y se cortaba siempre en lo más emocionante, porque la película duraba varias sesiones, en las que no había forma de apresar a Fu-Man-Chu, a pesar de que el «gallinero» animaba constantemente a los buenos, que, aparte de buenos, eran algo cerrados de mollera.

«Chico de Madrid» hizo un día amistad con un muchacho, resabiado de la vida, que hablaba como un loro, jugaba a las cartas como un profesional y era hijo de un oscuro anarquista que penaba en San Miguel de los Reyes. «Chico de Madrid» quedó deslumbrado y aquel vaina desplazó de su corazón a los héroes de las películas y de los periódicos de aventuras. Se hizo fanático de él y abandonó sus cacerías y su pureza por seguir su pata coja hasta la misma

Puerta del Sol. Él le enseñó a pedir con voz sollozante, acercándose mucho al limosnero para despertarle ascos:

—Señor, señor, una limosna para este expósito, que purga culpas de padres desnaturalizados. Nacido en enero y abandonado en la nieve.

Y después, recitado velozmente:

—El blanco sudario fue el regazo que acogió sus primeros llantos de niño. Una limosna para lo más necesario y vaya usted con Dios con la conciencia tranquila por haber hecho una obra de caridad.

Nadie se tragaba el cuento, pero todo el mundo les daba alguna perrilla, porque se los querían quitar de encima. El pregón de sus miserias lo había sacado aquella especie de paje de espantapájaros de una novelilla sentimental y manoseada que un amigote le había prestado. «Chico» colaboró literariamente, arreglándolo a las circunstancias. Ganaban su dinero. En los repartos el cojo se quedaba con la mayor parte, porque para algo era el jefe.

Una tarde de toros en que el sol quemaba de canto y la gente tenía los ojos llenos de picores de modorra, «Chico» y su jefe fueron a piratear a las puertas de la plaza. La gavilla de sus conocidos haraganeaba por allá en busca de corazones blandos o de estómagos satisfechos que necesitaban digestión sin molestias. Los guardias a caballo estaban tristes como estatuas.

Se hacía obligatoria la tragedia en el ruedo. Los novilleros —porque había novillada— debían estar desfigurados, borrosos de miedo. Los novillos estarían medio ahogados y quemados de las punzadas de los tábanos. Tal vez los picadores estuvieran aletargados con sus caras de tortugas gigantes, balanceando las cabezotas. Los caballejos, como los de su tiovivo, vacilantes y cansados. El presidente, orondo, fumándose un veguero, entre eructos disimulados. La plaza, frenética. Y la bandera, que él veía sobre el azul del cielo, poniendo sus crudos colores de estío africano, cortando, inmóvil, las retinas de los contempladores. Pasaban rostros abotargados que con el calor y la respiración parecían higos reventones llenos de dulzor. A ellos se acercaba «Chico» misereando:

—Señor, señor, una limosna, por caridad, para este pobrecito, que hace dos días que no prueba bocado y vive en una choza con siete hermanitos, sin madre y con padre holgazán.

Había variado la retahíla con estucia, porque si se les ocurría decirles a los señores gordos que habían sido abandonados en la nieve los iban a juzgar los pobres más felices del mundo.

«Chico de Madrid» oyó voces detrás de él y de pronto se sintió cogido por el cuello de la camisa. Un municipal lo tenía agarrado con la mano izquierda, mientras con la derecha casi arrastraba a su compañero, que pataleaba con fingido llanto. «Chico» intentaba escaparse por ley natural, por lo que recibió un terrible puntapié que lo calambró y lo dejó como cuando a una lagartija le cortan el rabo. Comenzó a hipar y a dar berridos, por lo que fue sacudido violentamente y conminado a callarse. Otro guardia municipal, parsimonioso y con galones, se acercó a ver lo que pasaba. Ya tenían grupo en torno y algunas señoras, con impertinentes, aromosas y con ganas de saberlo todo, hociqueaban ante ellos entre con tristeza falsificada y evidente repulsión. El de los galones interrogaba al que les estaba dando garrote vil con sus manazas:

—¿Y estos pájaros?

—El cojitranco éste que se pringaba en un reló —decía dándole un empujón al jefe—. Y este otro —lo señalaba con gesto de cabeza—, que había venido con él, que yo los vi cuando llegaron y estaba haciendo el paripé pidiendo.

—Pues a la *trena,* y los amansas si se sienten gallos.

«Chico de Madrid» no se sentía gallo; se sentía pájaro humildísimo y asustado gorrión. El guardia casi le ahogaba, pero se mordió los labios aguantándose porque, sin ninguna duda, había llegado la hora de callar y echarle pecho al asunto. De su jefe juraba vengarse, porque no estaba bien hacerle aquella jugada del silencio cuando el guardia se acercó a cogerle. Se derrumbó su héroe al mismo tiempo que le llegaba a la boca un sabor agrio de principios de vómito, porque el guardia le apretaba cada vez más. Tuvo una arcada. El guardia se paró soltándole del cuello y cogiéndole por la espaldera de la camisa. «Chico» notó que su salvación llegaba, dio una arrancada y salió corriendo. Oía confusamente las voces del guardia pidiendo ayuda e incapaz de perseguirle, so pena de perder al prestidigitador aficionado que danzaba como un ahorcado en los bandazos y los achuchones de lo que quería ser carrera entre la gente... «Chico» se escurría con rapidez; pasó un tranvía y se colgó de los topes. ¡Estaba salvado!

Le sorprendió el fresquillo acariciante de la madrugada tumbado a las orillas de su río, oyendo cantar a las ranas y dejando que se le fuera el pensamiento por los incidentes de la tarde. No volvería a la ciudad; su puesto no estaba en la ciudad, sino en el límite de ella: entre el campo grande de las anchas llanadas y la apretura estratégica de los primeros edificios. En aquel terreno de nadie, suyo, con gorriones vestidos de saco y lagartijas pizpiretas, con perros famélicos y sabios y gatos alucinantes, con ratas y mariposas, con grillos y ranas, con el hedor de su río y el perfume lejano del tomillo campesino. No, no volvería a la ciudad y se dedicaría a pasarlo bien por aquellos andurriales hasta que lo llamaran a quintas. Se fue quedando dormido en el relente de la mañana; luego, el sol comenzó a calentarle los pies y a ascenderle por el cuerpo, despertándole con un grato hormigueo. «Chico de Madrid» se desperezó, se restregó los ojos y marchó en busca del desayuno silbando alegremente. Ahora sí que estaba salvado de verdad.

Habían pasado algunos días. Su vida era tranquila y medieval: comer, dormir, cazar. No comía muy bien, ni dormía muy blandamente, ni cazaba otra cosa que animales inmundos, pero él estaba muy a sus anchas. Aquella tarde pensaba hacer una exploración por una alcantarilla vieja y abandonada, y ya se regodeaba soñando con lo que en ella iba a encontrar. Iba a encontrar ratas como caballos y puede que de añadidura se topase con algún esqueleto humano. Esto le parecía difícil; pero si lo encontrara, si lo encontrara, iba a ser rico, tremendamente rico de misterios. Sabía que cierta vez unos obreros, en un solar cercano, cuando trabajaban para levantar los cimientos de una casa, al lado de una antiquísima cloaca, hallaron varios esqueletos que, según se dijo, eran de los franceses, de cuando el 2 de mayo. «Chico» soñaba desde entonces con esqueletos de franceses, aunque no le importaban mucho sus nacionalidades, porque con que fueran esqueletos como los que había visto tenía bastante.

A las cuatro de la tarde, armado de una estaca y con un farolillo de carro, dio comienzo a su exploración. Llevaba un riche por si tenía hambre y una vela y una caja de cerillas por si necesitaba repuesto o se dilataba demasiado cazando. Entró por el tunelillo encorvado y un tufo ácido le avispó la nariz. Se colocó un trapo a modo de careta preservadora y siguió avanzando impertérrito rumbo a lo desconocido. El farolillo le danzaba la sombra; una humedad grasa le manchaba las manos cuando las rozaba con las paredes; el garrote le hacía caminar como un extraño animal que tuviera allí mismo su cubil. Estuvo andando mucho tiempo, hasta que las espaldas se le cansaron; entonces montó su campamento, dejó el garrote y merendó su riche. Pensó en volver. La cloaca estaba vacía. No había esqueletos y lo más gordo era que tampoco había ratas. Se volvió.

«Chico de Madrid» comenzó a sentir algunos trastornos intestinales. La frente le ardía. La última noche no pudo dormir de desasosiego. Fue a casa de su madre, a la que no veía desde la tarde en que se le ocurrió explorar la cloaca. La pobre mujer, después de regañarle, lo lavó como pudo, le hizo ponerse una camisa de su padre, guardada con todo esmero como recuerdo, y le invitó a tenderse en el jergón. Salió breves momentos a la calle y luego regresó con un gran vaso de leche. «Chico» tampoco pudo dormir aquella noche.

Pasaron dos días. Cuando el médico llegó era ya demasiado tarde. «Chico», el buen «Chico», estaba en las últimas. La madre, fiel, sentada a sus pies, sin soltar una lágrima, se asombraba de lo que le ocurría a su hijo. El médico se limitó a decir: «Tifus; ya no hay remedio.» Y «Chico de Madrid» murió porque no había remedio. Murió a la misma hora en que salen sus ratas a averiguar la tarde con los morritos saltimbanquis, cuando la tierra se pone morena y hay violetas en los tejados y el primer murciélago hace su ronda de animalejo complicado y se extiende como una gasa de tristeza por las orillas del Manzanares. «Chico de Madrid» murió a consecuencia de su última cacería, en la que si no pudo cazar ratas, como nunca falló, cazó un tifus; el tifus que lo llevó a los cazaderos eternos, donde es difícil que entren los que no sean como él, buenos; como él, pobres, y como él, de alma incorruptible.

...y aquí un poco de humo...

Merendar con doña Ricarda fue siempre divertido. Doña Ricarda tomaba su manzana asada, sobrante del postre de la comida, con modales decimonónicos; luego se olvidaba de los modales y chupaba los pellejos hasta dejarlos transparentes. Andrés la contemplaba entusiasmado haciendo bailar la pierna derecha, apoyada la punta del pie en el travesaño de la mesa, esperando que, como una vez sucedió, se le cayera la dentadura postiza. Doña Ricarda decía:

—Come, Andresito, y estate quieto que parece que tienes azogue.

Andrés comía su pan con miel haciendo que miraba los blocaos de la guerra de Cuba con soldados barbudos, en el tomo de *La Ilustración Iberoamericana,* rigurosamente encuadernado, abierto sobre la mesa. Pero a Andrés no le interesaban los blocaos; a hurtadillas observaba a doña Ricarda.

Después del pan con miel venían las nueces. «Los chicos, decía doña Ricarda, para hacerse fuertes, tienen que desayunar café y leche con sopas como los bilbaínos; comer habas con tocino y filetes de cebón con patatas fritas, como los leñadores; merendar pan con miel y nueces como los frailes y las ardillas; cenar puerros, un huevo duro y chocolate hecho como los centenarios.» Sí, esto decía doña Ricarda, anciana culta, ordenada y generosa.

Doña Ricarda vivía con su hijo Prudencio, empleado en un Ministerio hacía treinta años, y una sirvienta muy joven llamada Tomasa, nacida en Cernégula, por tierras del Cid. Andrés era vecino, y en vacaciones sus padres le dejaban pasar a casa de doña Ricarda. Andrés estaba a punto de hacer el ingreso en el bachillerato e iba a un colegio donde enseñaban muy bien Religión, Geografía, Historia, Aritmética y Fútbol. Andrés era feliz en casa de doña Ricarda.

Doña Ricarda al término de la merienda contaba historias. Andrés cerraba *La Ilustración Iberoamericana,* llena de migas y pegotes de miel, y se quedaba con la boca abierta. Las historias de doña Ricarda eran de guerra, de miedo y de resignación. Hablaba de las guerras carlistas; de las de África, Cuba y Filipinas; de la de los alemanotes y los soldados del Tigre. Hablaba de la muerte; de cómo la muerte llama a las casas cuando quiere entrar o deslizarse tal que un gato o que el viento. Hablaba de la resignación que hay que tener si a uno le salen mal las cosas o nunca le toca la Lotería o pierde un ser muy querido. Andrés, en casa de doña Ricarda, sentía que todo era mágico, inquietante, misterioso y divertido.

El pan con miel y las nueces, acompañados de brasero, de agua con azúcar y del bisbiseo de doña Ricarda, en trance de oración antes de las historias, sabe a antiguo con un sabor de desvalimiento y ternura, con un calor de regazo. Andrés se acurruca en sí mismo. Andrés imagina que a los franceses los manda un tigre con cabeza de hombre; que África, Cuba y Filipinas son países donde los españoles matan infieles y comen plátanos, que las guerras carlistas son una carrera sin parada, de un lado a otro, con un fusil, una manta y unas alpargatas de repuesto; que la muerte es una señora muy alta, muy alta, y muy delgada, muy delgada, vestida de negro y apoyada en un bastón con puño de muletilla, que le sirve para llamar a las puertas. A la muerte dedicaba cada sesión doña Ricarda cosa de un cuarto de hora.

—La muerte —decía doña Ricarda— se las sabe todas. Inventan los médicos, por ejemplo, un medicamento contra la gripe, pues mira, Andresito, la muerte saca a relucir la disentería. En Cuba mató más de los nuestros la disentería, que es un cólico muy fuerte, que los mambises.

—¿Quiénes eran los mambises? —interrumpía Andrés.

Doña Ricarda explicaba teológicamente quiénes eran los mambises.

—Los mambises, hijo mío, eran los propios diablos salidos del infierno a los que Dios permitía luchar contra los españoles para probarnos.

El niño hacía, con gravedad, afirmaciones de cabeza.

—La muerte —seguía doña Ricarda— llega a la puerta de esta casa, mira si hay signos pintados en la pared. ¿Tú no pintarás en el portal, verdad, Andresito?

Andresito se escalofriaba.

—No, doña Ricarda.

—Bueno, la muerte ve si hay signos; si los hay sube por las escaleras. Se para en el primer piso. Nada. Sigue subiendo. Se para en el segundo. Nada. Sigue subiendo. Se para en el tercero...

El niño imploraba aterrado.

—En el tercero no, doña Ricarda, que vivimos nosotros.

—Pero hijo, la muerte se para en todos los pisos —hacía una pausa—. Bien, en el tercero, nada. Sigue subiendo. ¿Que en toda la casa no hay signos como los del portal? Pues se escapa por el tejado en forma de humo. Y a otra cosa. Y así desde el principio de los siglos hasta el día del Juicio Final.

—¿Y si hay signos? —preguntaba Andrés en voz baja y secretera.

—Si hay signos en un piso, llama a la puerta con su bastón. Si da un golpe es que pasado un día a la una de la mañana morirá alguien en aquel cuarto. Si da dos golpes es que visitará la casa dos veces ese año: una por el otoño y otra a finales de invierno.

—Doña Ricarda. ¿Y si los que viven en la casa no

la quieren recibir, cierran las puertas y ventanas y no abren a nadie aunque llamen?

Doña Ricarda movía la cabeza a un lado y a otro, y, patéticamente, aseguraba:

—Inútil. La muerte se metería como una carta por debajo de la puerta.

Tomasa, la sirvienta, se pasaba el día a la escucha. Por el ventanuco de la cocina vigilaba quiénes subían y bajaban las escaleras. Por eso Tomasa fue a anunciar la llegada de los padres de Andrés a la habitación donde éste y doña Ricarda hablaban de la muerte.

—Doña Ricarda, los padres del —titubeó— del señorito Andrés ya están aquí.

—Bien.

Andrés se subió las medias que se había bajado por el calor del brasero.

—Doña Ricarda, voy, pero vuelvo en seguida.

—Bien, Andresito.

—Adiós, doña Ricarda.

El niño salió corriendo. Se oyó descorrer un cerrojo. Después el ruido de la puerta.

—Tomasa —dijo doña Ricarda—, quite todo esto, cierre bien la puerta y póngase a planchar.

—Sí, señora.

Doña Ricarda sacó un libro de rezos de entre sus faldas y se colocó las gafas.

El reloj de la mesilla de noche, en el silencio de la habitación, crispaba al enfermo. Andrés tenía fiebre alta. Tic, uno, tac, dos, tic, tres, tac, cuatro... La lámpara arrojaba una luz de crepúsculo, de pequeño crepúsculo, colocada en el suelo, a los pies de la cama. El niño estaba desazonado. Tic, uno, tac, dos, tic, tres...

—Mamá, mamá...

—¿Qué, hijito? Estoy aquí.

—Llévate ese reloj. Me da miedo.

—¿Que te da miedo?

—Sí, mamá, las pisadas del reloj... Llévatelo...

La madre cogió el reloj y salió de la alcoba. En el pasillo se topó con su marido.

—¿Qué, Ester? ¿Por qué grita el niño?

—Está delirando. Dice que oye las pisadas del reloj.

El padre inclinó la cabeza.

—Bonitas Navidades con el niño así.

—No te preocupes, Miguel, ya se pondrá bueno.

El padre se asomó a la alcoba. El niño estaba medio amodorrado. Entró. Le pasó la mano por la frente. Andrés abrió los ojos.

—Papá, me duele aquí.

—Descansa, hijo. Dentro de dos días estarás bueno.

—Papá, llama a doña Ricarda, que venga a verme.

—Sí, hijo. Ahora se lo diré.

—Dile que me traiga *La Ilustración*.

—Duérmete. En cuanto te duermas paso a avisarla.

Miguel besó a su hijo. En la puerta cuchicheó con su mujer.

—Le ha subido la calentura. Quiere que avisemos a doña Ricarda.

—Yo iré.

La puerta fue cerrada con sigilo. Andrés lloraba silenciosa, dolorosamente. Lágrimas grandes, espaciadas, como primeras gotas de tormenta mojaban su almohada. Luego dejó de llorar. Pasó el tiempo.

Andrés despertó de pronto. En la puerta había sonado un golpe. La madre salió de la habitación. Andrés gritó. Andrés se tapó la cara con el embozo de la sábana.

—Mamá, no abras. Mamá, no abras.

La madre abrió la puerta.

—¡Ah! Es usted, doña Ricarda, creí que era la muchacha. Ha salido hace un rato a la farmacia y todavía no ha vuelto.

—¿Qué tal Andresito? El timbre de esta puerta no funciona.

—Andrés no está nada bien. Pero, pase, pase.

En su habitación, Andrés observaba por un huequecito de las sábanas. Vio entrar a doña Ricarda, alta, erguida, vestida de negro, apoyada en su bastón con puño de muletilla. Traía *La Ilustración Iberoamericana* debajo del brazo. No era la muerte. No podía ser la muerte. Nunca pudo imaginar que doña Ricarda se pareciese tanto a la muerte.

—Andresito, ¿qué tal estás? Te traigo *La Ilustración.*

Andrés sonrió.

—No hay signos en la puerta.

A doña Ricarda se le olvidaban las cosas que contaba a Andrés.

—¿Qué dices, Andresito, hijo?
—No hay signos.
La madre intervino.
—Descansa, Andrés.
Luego le arregló la cama y salió con doña Ricarda.
Andrés hundió la cabeza en la almohada y se quedó dormido.

Fueron unas Navidades sin Nacimiento las de Andrés. La víspera de Reyes a mediodía, se levantó de la cama. Anduvo por el pasillo vacilante. Dijo dos o tres veces que se le había olvidado andar. Fue al recibidor y pegó la frente al cristal empañado de la ventana. La madre le regañó. Él pasó la mano por el cristal y vio la calle. No había nieve. Vio los árboles cercanos brillando al sol. Vio un día frío y luminoso. Vio un gorrión dando saltitos por el bordillo de la acera. Vio pasar un automóvil. Después se sentó a plomo en un sillón.
Llegó su padre. Le besó. Le guiñó confidencial un ojo.
—Andrés, mañana es Reyes. Tú me dirás lo que quieres.
—Cómprame una pistola de corcho explosivo. Cómprame una navaja de explorador. Cómprame, también, unos mapas de calcar que he visto en...
—Esta tarde saldré a comprarlos.
Andrés comió en la mesa. Comió desganado. Le

costaba tragar la comida. A los postres su madre le dijo:

—Si quieres pasar esta tarde a ver a doña Ricarda, lo puedes hacer, siempre que te abrigues mucho. En la escalera hace frío.

El niño afirmó vagamente, pero por la tarde tuvo sueño y se acostó. Al despertar le sorprendió su padre con los regalos.

—Aquí tienes lo que me has pedido. Los mapas, la navaja de explorador, la pistola y estos libros de aventuras que yo añado.

—Gracias, papá.

Andrés ordenó los regalos sobre la cama. Los contempló. Luego cogió un libro y lo abrió. Leyó: «Whiskey Dick, si no era por todos conceptos una escolta irreprochable, era, por lo menos, un excelente jinete». Metió la pistola bajo la almohada. Abrió la navaja por su hoja más grande. «Whiskey Dick sacando su tabaco de mascar...» Andrés se estiró placenteramente en la cama.

Llevaba mediada la novela cuando su madre le trajo el café con leche de la cena. Pasada media hora le apagó la luz. Andrés tardó mucho en dormirse pensando en Whiskey Dick y en el Vado del Diablo.

El día de Reyes por la tarde Andrés fue a visitar a doña Ricarda. Doña Ricarda le felicitó por su restablecimiento. Le encontró más delgado. Opinó que había crecido.

—Has dado un estirón, hijo. Estás hecho un hombre.

Luego añadió:

—¿Qué te han echado los Reyes? —Y sin dejarle responder continuó—: Aquí también han venido. Algo te han traído. Tomasa, traiga lo que han dejado los Reyes.

Los Reyes habían dejado para Andrés un juego de Arquitectura y dos libros: *Los tres hermanitos de la Talanquera* y *Lecturas para niños.*

—¿Te gustan? —le preguntó doña Ricarda.

Andrés no tuvo más remedio que contestar:

—Sí, doña Ricarda.

—Bueno. Bien. Pues como ya es muy tarde vamos a merendar. Tomasa, la merienda.

Merendar con doña Ricarda no fue divertido. Merendaron frutas en almíbar, turrón y un vaso de leche.

Andrés estaba inquieto y no le sabían bien las frutas ni el turrón. Empezó a calcular que las cosas tenían que suceder por riguroso turno: merienda, bisbiseo de rezos, por fin historias. ¿Qué aburrida historia contaría doña Ricarda?

—Las Navidades —comenzó doña Ricarda— son fiestas muy antiguas. Cuando yo era como tú, en casa de mi abuela, poníamos un Nacimiento muy grande. Cogíamos en el jardín muérdago...

Doña Ricarda esperó inútilmente la pregunta de Andrés. Desconcertada cambió de tema.

—Recuerdo que una Navidad, hará de esto cincuenta años o más, aquí mismo, en Madrid, un hombre se quedó helado por pasarse la noche de vigilancia para que los anarquistas...

Hizo un silencio a la expectativa de la reacción de Andrés. Andrés apiló los libros, con base en la caja de arquitectura. Se puso en pie y pretextó a doña Ricarda una disculpa para ausentarse. Doña Ricarda quedó cortada. No le respondió de palabra. Movió la cabeza. Extendió las manos sobre la mesa. Andrés se despidió. Caminó despacio por el pasillo. Abrió con cuidado la puerta. Doña Ricarda no llamó a Tomasa. Se quedó anonadada, triste, lacrimosa. Lentamente se fue recuperando.

—Tomasa, ven aquí.

Tomasa apareció con una bandeja en sus manos gordas y coloradas.

—Tomasa, siéntate.

Doña Ricarda hizo un esfuerzo.

—Tomasa, la muerte se las sabe todas. Tomasa, la muerte llega a la puerta de esta casa, mira si hay signos pintados en la pared. ¿Tú no pint...? Tomasa, quite todo esto, cierre bien la puerta y póngase a planchar.

Cuando la sirvienta se fue, una lágrima apretada como un puño se deslizó vacilante por el gran surco de la mejilla derecha de doña Ricarda. Suspiró. Luego sacó el libro de rezos de entre sus faldas y se colocó las gafas. Sobre la cómoda chisporroteaba a punto de apagarse una mariposa encendida a una imagen. Vaciló unos momentos. Luego naufragó. Una columnita de humo surgió de la lamparilla. Whiskey Dick soplaba, frente a Andrés medio tumbado en un sillón, el cañón de uno de sus revólveres humeantes.

Índice

Los cuatro relatos recogidos en este volumen están incluidos en la edición de los *Cuentos Completos* de Ignacio Aldecoa publicados en dos volúmenes en «El Libro de Bolsillo» de Alianza Editorial con los números 436 y 437.

Últimos títulos de la colección:

33. Mercè Rodoreda: *Mi Cristina. El mar*
34. Adolfo Bioy Casares: *Máscaras venecianas. La sierva ajena*
35. Cornell Woolrich: *La marea roja*
36. Amin Maalouf: *La invasión*
37. Juan García Hortelano: *Riánsares y el fascista. La capital del mundo*
38. Alfredo Bryce Echenique: *Muerte de Sevilla en Madrid*
39. Hans Christian Andersen: *Cuentos*
40. Antonio Escohotado: *Las drogas*
41. Juan Benet: *Sub rosa*
42. Mario Benedetti: *La vecina orilla*
43. Jean-Paul Sartre: *La infancia de un jefe*
44. Uwe Schultz: *La fiesta*
45. Gustavo Adolfo Bécquer: *Maese Pérez el organista. La corza blanca*
46. Horacio Quiroga: *Anaconda*
47. Patricia Highsmith: *Siete cuentos misóginos*
48. Carson I. A. Ritchie: *La búsqueda de las especias*
49. Francisco Calvo Serraller: *El Greco*
50. Alfonso E. Pérez Sánchez: *Ribera*
51. Julián Gállego: *Velázquez*
52. Enrique Valdivieso: *Murillo*
53. Valeriano Bozal: *Goya*
54. Juan Antonio Ramírez: *Picasso*
55. Agustín Sánchez Vidal: *Dalí*
56. Francisco Calvo Serraller: *Breve historia del Museo del Prado*
57. Ignacio Aldecoa: *El corazón y otros frutos amargos*
58. Eduardo Galeano: *Mujeres*
59. Dashiell Hammett: *Una mujer en la oscuridad*
60. José Deleito: *El desenfreno erótico*
61. Mariano José de Larra: *Artículos*
62. Ernesto Sábato: *El dragón y la princesa*
63. Anónimo: *La dama de Escalot*
64. César Vidal Manzanares: *Los manuscritos del mar Muerto*